DISCARDED

Las 3 Erres
Reutilizar, reducir, reciclar

Texto: **Núria Roca**

Ilustraciones: **Rosa M. Curto**

edebé

¿Conoces la letra R? Hay tres palabras que empiezan por esta letra que nos enseñan diferentes maneras de lograr que la contaminación sea algo menor. ¿Sabes cuáles son? La R de Reutilizar, Reducir y Reciclar.

Reutilizar las cosas que aún son útiles, como el jersey de tu hermano mayor.

Reducir lo que tiramos, como los vasos de papel.

Reciclar las cosas viejas para hacer otras nuevas, como convertir en un títere un calcetín viejo.

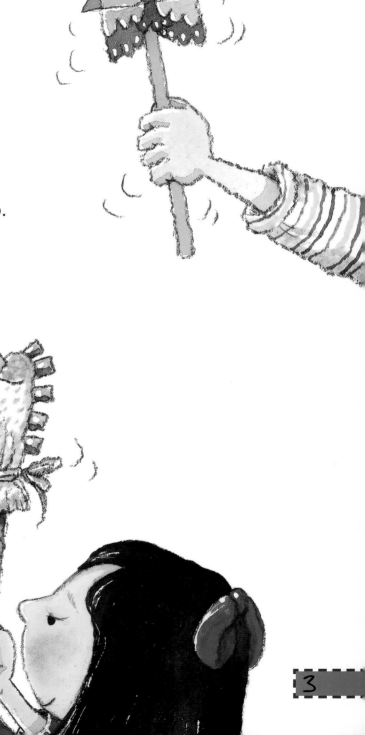

En la ciudad donde vive Pablo, las bolsas de basura se dejan por la noche en los contenedores de basura que hay en la calle. Por la mañana pasa un camión que los vacía y se lleva las bolsas a... ¿Sabes a dónde las lleva?

A un **vertedero,** que es un agujero muy grande abierto en la montaña o en el campo.

Pero en la ciudad de Pablo vive tanta gente y se crea tanta basura
que los vertederos ya están llenos, y ahora no saben dónde hacer otro.
Así que han construido un horno gigante, una **incineradora.**
A nadie le gusta vivir cerca de la incineradora: mucha gente piensa
que el humo que sale por la chimenea es perjudicial para las plantas,
los animales y las personas.

En la escuela de Pablo les han hablado de la cantidad enooorme de **basura** que se genera en un solo día, y han decidido reutilizar todo lo que se pueda, o sea que ahora usarán las cosas muchas veces, hasta que se rompan o ya no se puedan utilizar más.

Pintan el papel por las dos caras, usan los botes de pintura vacíos para guardar clips y gomas, emplean los recortes de papel para hacer «collages» preciosos... ¿Tienes más ideas?

En casa, reutilizamos todo lo que podemos: Pablo se pone las camisetas que se le han quedado pequeñas a su hermano mayor. ¡Y **aprovecha** sus libros! ¿Sabrías decir cuántas cosas de las que ves en estos dibujos se pueden utilizar muchas veces? Pablo ha heredado la bicicleta de su hermano. Y como ya no necesita el triciclo, se lo ha regalado a su prima.

Otra cosa que hacemos en casa y en el colegio
es no **malgastar** ni el agua ni la luz, porque
así ayudamos a la conservación del planeta. Parece muy
poca cosa, pero con las gotas que caen en un día
de un grifo mal cerrado, se podría llenar... ¡una bañera!
Así pues, grifos bien cerrados y luz apagada.
Cuando no se necesita, claro.

Cuando la familia de Pablo va a **comprar** al supermercado, se lleva bolsas de casa: siempre llevan cestos y bolsas de tela para no tener que pedir bolsas de plástico o de cartón. Así contribuyen a reducir las cantidades de plástico y de papel que hay que fabricar. Reducir significa **gastar** muy poco, sólo lo que se necesita.

15

Las bolsas de plástico son muy cómodas, pero a veces van
a parar al mar, donde pueden **dañar** a los animales marinos.
Las tortugas se las tragan a veces, al confundirlas con medusas,
o se hacen heridas con las anillas de las latas.
¡Es muy importante no tirar nada al suelo, ni en el bosque,
ni en la playa o el mar, ni en la ciudad!

17

Pasta

Papel
mojado

Prensa

Secado

Calandria

En la escuela de Pablo tiran todo el papel y el cartón
en un contenedor especial que hay en la calle.
Unos camiones lo recogen y lo llevan a una fábrica
de papel, donde lo trituran, lo deshacen y lo lavan hasta
conseguir una pasta húmeda y blanda.
Con esta pasta vuelven a **fabricar** papel.
Cuando está seco, tenemos... ¡papel reciclado!

Se puede reciclar casi todo: el papel y el cartón,
los objetos de plástico, el vidrio, las latas metálicas...
Los residuos se deshacen bien y con la pasta obtenida
se pueden **elaborar** cosas nuevas:
latas de bebida, botellas de vidrio, botes de plástico...

Papel viejo

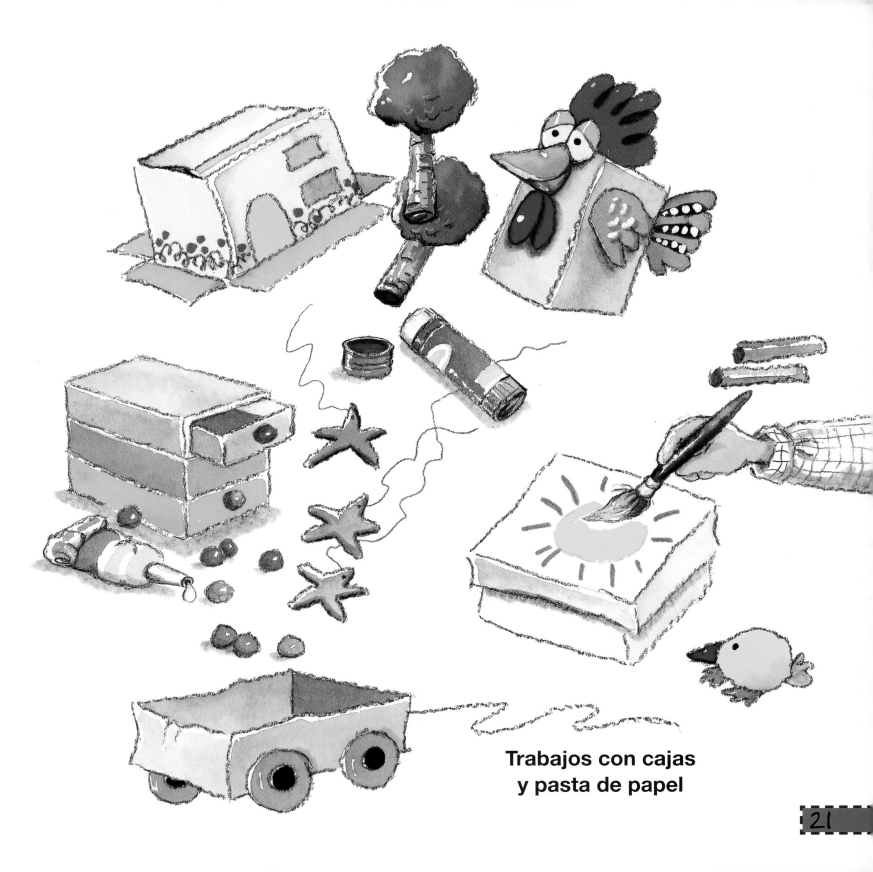

**Trabajos con cajas
y pasta de papel**

Sus padres le han explicado a Pablo que los
restos de comida también se pueden reciclar,
y que con ellos se hace abono, un alimento para
las plantas. El abono preparado de esta manera
se llama **compost.**
La piel de plátano que ha tirado
Pablo se puede convertir
en alimento para las plantas,
como todos los restos
de comida. ¡Genial!

Pero para que todo se pueda reciclar, debe depositarse en **contenedores** especiales, cada cosa en su contenedor. Ahora, en la cocina de la casa de Pablo hay cinco bolsas de basura. Una para el papel, una para el plástico, una para las latas, la tercera para los restos de comida y la última para aquellas cosas que no se pueden reciclar. ¿Adivinas a qué bolsa iría a parar la basura que ves dibujada?

En el colegio también recogen las pilas usadas. Les han explicado que no se pueden reciclar, pero que contaminan muchísimo, tanto, que es muy importante no tirarlas a la basura. Por eso han hecho un contenedor para ellas.

Cuando esté lleno lo llevarán a un centro de reciclaje, conocido también como **punto verde.**

En la clase de Pablo han hecho dibujos para decorarla.

Les ha quedado chuli, ¿verdad?

Si no malgastamos tanto y reciclamos todo lo posible, habrá menos contaminación y podremos **vivir** muchos años en nuestro pequeño planeta, respirando aire sin humos, bañándonos en aguas limpias y paseando por bosques y campos sin basura.
Pablo cree que el esfuerzo vale la pena. ¿Y tú?

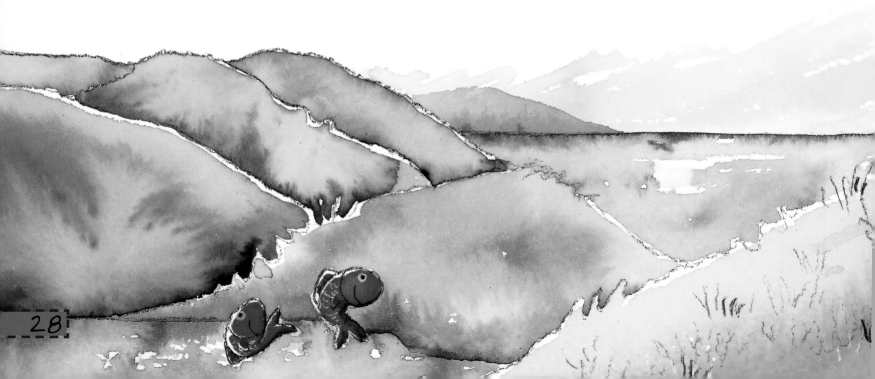

Una casa para pájaros

Con material reciclado puedes construir una casa-nido como la que te mostramos. Sólo necesitarás:

• un tetrabrik
• unas tijeras
• dos metros de cordel grueso
• cinta adhesiva resistente al agua
¡y la ayuda de un adulto!

1. Abre el tetrabrik por la parte superior, lávalo bien y en uno de los lados de la caja haz un agujero redondo, como el del dibujo.

2. En el otro lado de la caja abre dos agujeritos para pasar el cordel. Por la parte interior del tetrabrik, haz dos nudos para que el cordel quede bien sujeto.

3. Pon hierba seca en el fondo de la caja para hacer así una camita para pájaros. A continuación cierra el tetrabrik por la parte superior y coloca cinta adhesiva para que no pueda entrar agua.

Ya sólo te falta buscar un árbol en el jardín de tu casa o en la de algún amigo, y atar bien los cordeles de la caja-nido alrededor del tronco o de una rama.

¡Y a esperar que algún pájaro se decida a entrar!

1

2

3

Budín de pan duro

A Pablo le gusta mucho un budín que prepara su padre cuando les sobra pan del día anterior. ¿Quieres probarlo? Sólo necesitas:

- 1/2 litro de leche caliente (un par de vasos de leche)
- 100 gramos de pan duro, sin corteza (unas 4 rebanadas finas de pan)
- 10 cucharadas de azúcar y 4 cucharadas de agua
- 3 huevos
- 4 cucharadas de mermelada de naranja
- 2 cucharadas de pasas

¡Y LA AYUDA
DE TUS PADRES!

1. Desmiga el pan en un bol, añade la leche caliente y lo dejas reposar todo hasta que el pan esté muy blando.

2. Vierte las 4 cucharadas de agua y las 4 de azúcar en un molde rectangular. Mételo en el microondas 6 minutos y verás cómo el agua azucarada se transforma en caramelo. Remueve el molde para que todo quede bien caramelizado

3. Cuando el pan esté ya bien ablandado, añade los huevos, el azúcar que te ha quedado y la mermelada. Bátelo todo bien batido y viértelo en el molde caramelizado.

4. Mete el molde en el microondas durante 10 ó 12 minutos. Pincha la masa para comprobar si ya está del todo cocida; si es así, ya puedes desmoldar.

¡Has reciclado el pan y has hecho un budín riquísimo!

Un experimento

La comida desaparece muchísimo antes que el plástico o el aluminio

1. Pide a tus padres que te den un tomate o una pieza de fruta que se hayan echado a perder.

2. Busca una botella de plástico y una bola de papel de aluminio que ya esté utilizada.

3. Colócalo todo en un lugar fuera de casa (una maceta en el balcón, un rincón de la terraza o el jardín) en el que haya humedad y no dé el sol.

4. Observa cada día lo que va ocurriendo.

¿Ves cómo al tomate o la fruta le van saliendo manchas? Lo que parecen manchas, en realidad son hongos, como los que crecen en el bosque, pero son tan pequeños que necesitarías una lupa muy potente para verlos. Eso mismo es lo que sucede en el bosque con todo lo que es comida o restos de animales o plantas: los hongos y unos animalillos tan pequeños como ellos se lo comen todo y en unos días lo hacen desaparecer.
El papel de aluminio y el plástico, en cambio, no se deshacen en absoluto. Por eso es tan importante que no los tires en el bosque, el mar o el campo: si lo haces, se quedarán allí años y años, contaminándolo todo y perjudicando a animales y plantas.

Hagamos
una libreta

Aprovecharemos hojas de papel que sólo tienen una cara utilizada, como las que salen defectuosas de la impresora o de la fotocopiadora de la escuela.

1. Recoge todas las hojas que encuentres con una cara no usada (con 10 tienes suficiente: 1, 2, 3, 4, 5, 6, 7, 8, 9, 10).

2. Colócalas bien ordenadas una sobre otra.

3. Dobla el paquete de hojas, y luego vuélvelo a desdoblar.

4. Haz dos agujeros justo en el centro, donde ha quedado la señal del doblez.

5. Pasa el hilo por los agujeros y anúdalo. No cortes el hilo sobrante: te servirá para atar la libreta y que quede siempre bien cerrada.

Si reciclas el papel, ayudas a que se tenga que fabricar menos. Así salvas árboles, porque el papel se fabrica con la leña de los árboles. ¿Lo sabías?

¿Qué te parece dibujar delante una gran R? ¡La R de RECICLADA!

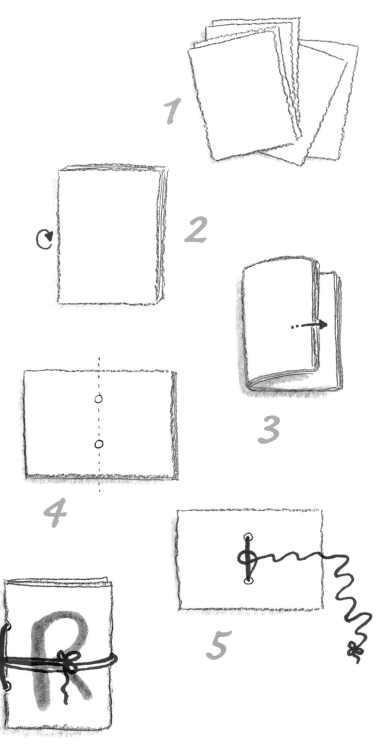

Guía para los padres

Los humanos utilizamos mucha materia prima y energía para producir gran cantidad de objetos: lápices, coches, mesas, muñecos... Pero a menudo no tenemos en cuenta que estos recursos pueden agotarse, que su extracción del medio natural donde se encuentran puede provocar graves impactos ambientales y que el consumo desenfrenado ocasiona montañas y montañas de basura y residuos.

La basura: un problema

La mayor parte de la basura doméstica se quema o se entierra. Los vertederos actuales se llaman *vertederos controlados*, y están revestidos de material aislante para que ni la basura ni el «líquido» que de ella deriva entren en contacto con la tierra. Cuando los camiones vuelcan su carga en el vertedero, la basura es aplastada por una apisonadora y se cubre con una capa de tierra. Cuando el vertedero está lleno, se cubre completamente con tierra, en la cual se puede plantar hierba, de modo que el antiguo vertedero se convierte en un parque. Una vez que se ha clausurado, hay que buscar otro lugar para seguir enterrando la basura.
El problema de espacio da lugar a que con frecuencia se opte por quemar los residuos en unas plantas especiales denominadas incineradoras, muy caras de construir y de mantener. Además, generan gases contaminantes –*a pesar de que hay leyes que prohíben que las emisiones de gases superen los límites perjudiciales para las personas*– y cenizas tóxicas para la salud, que deben ser enterradas o almacenadas en algún lugar.

Para disminuir el volumen de basura y el consumo energético, podemos **Reducir** las basuras, comprando menos cosas de las que luego se tiran; podemos **Reutilizar** las cosas, antes de desecharlas, tantas veces como sea posible; y, en lugar de tirar, podemos **Reciclar** objetos como los botes y las botellas de vidrio, para convertirlos en otros productos nuevos utilizables.
En definitiva, se trata de que pongamos en práctica la consigna de las tres erres: reducir, reutilizar y reciclar. Y la mejor edad para hacerlo es desde la infancia.

Las tres erres

Reducir significa tirar menos; por lo tanto, una de las mejores formas de hacerlo es comprar sólo aquello que realmente se necesita.
Reutilizar significa guardar y volver a utilizar. Podemos evitar que muchas cosas vayan a parar al vertedero, como un cómic, un jersey o una bicicleta viejos, volviendo a usarlas o dándoselas a alguien que pueda aprovecharlas. Un intercambio de libros entre los diferentes cursos de la escuela sería un buen sistema de reutilizar los libros viejos.
Reciclar. Las latas de aluminio (las de los refrescos), las botellas de vidrio, el papel y el cartón, los envases de plástico..., se pueden llevar a un centro de reciclaje o punto verde. En estos centros, los materiales son clasificados y luego enviados a las fábricas, que elaboran con ellos nuevos productos. A partir de la pasta de papel se produce nuevo papel. Las botellas de vidrio se trituran y se

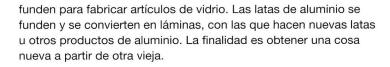

funden para fabricar artículos de vidrio. Las latas de aluminio se funden y se convierten en láminas, con las que hacen nuevas latas u otros productos de aluminio. La finalidad es obtener una cosa nueva a partir de otra vieja.

Cosas que se pueden hacer

• Ahorrar energía (agua, electricidad, gasolina...).
• Seleccionar y separar la basura: papel, vidrio, plástico, aluminio, restos de comida...
• Evitar el uso de aerosoles.
• Utilizar el transporte público, la bicicleta o ir andando.
• No usar aparatos que funcionan con pilas; si se emplean, no tirar a la basura las pilas usadas.
• Abrir las ventanas para ventilar cuando la calefacción (o el aire acondicionado) no funciona. Abrirlas a la hora menos fría en invierno y menos calurosa en verano.
• Regular el termostato a una temperatura razonable (entre 17 y 21 °C).
• Apagar la luz cuando ya no se necesita.
• Cerrar el grifo mientras te cepillas los dientes; así se ahorra agua.
• Usar detergentes y productos de limpieza biodegradables.

LAS 3 ERRES

Texto: Núria Roca

Ilustraciones: Rosa M. Curto

Diseño y maquetación: Gemser Publications, S.L.

© Gemser Publications, S.L. 2006
El Castell, 38   08329 Teià (Barcelona, España)
www.mercedesros.com

© De esta edición: EDEBÉ 2007
Paseo de San Juan Bosco, 62
08017 Barcelona
www.edebe.com

ISBN: 84-236-8498-9

Impreso en China
Marzo, 2007